욕망이라는 것에 대하여

blackD

욕망이라는 것에 대하여

03

욕망이라는 것에 대하여 **03**

1화

매번—

발표 수업 때마다—

똑같이 작화만 내세운—

무언가를 들고 오는데…

그런 작화에 비해 스토리와 연출이 전혀 없는 건,

더 이상 만화라고 볼 수 없지 않나요?

그리고 작품마다 너무 과한 캐릭터의 노출은

오히려 불쾌하기까지 합니다.

언제나 변함이 없네요~.

…노출을 노린 게 아니라!

인체의 아름다운 형태를 표현하려는 겁니다!

아니, 주제 자체가!!

콰

양

보디빌더들의 세계인데!!!

이걸 뭐 더 이상 어떻게!!

그건 제가 저번 수업 때도 동일한 지적을 했기 때문에 피해 가려는 눈속임이죠.

뭣, 뭐 이 자식아~!!

지적한 걸 고치지 않으려고 주제를 바꾸다니 발전이 없네요.

그만해라~.

그러는 너는!!

그만해, 강범철~.

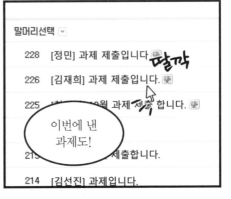

말머리선택

228 [정민] 과제 제출입니다. 딸깍

226 [김재희] 과제 제출입니다.

225 ... 9월 과제 제출 합니다.

이번에 낸 과제도!

213 ... 제출합니다.

214 [김선진] 과제입니다.

인물 표현이 이게 뭡니까?!

이거 그림을 그리려는 생각 자체가 없는 거 아니에요?!!

그건 인물의 감정 표현을 극대화하기 위한 컷으로….

이런 작화로 잘도 표현되겠다!!!

만화는 그림으로 표현하는 콘텐츠 아닙니까?!

이건 만화가 아니에요! 이러려면 만화 왜 그리냐?!

우리 과에서 제일 잘하는 사람들인데…

왜 저둘은 매번…

야, 너 말 너무 막 하는 거 아니냐?!!

네가!!!

너는!!!!

둘 다 그만해!!!

너희들 때문에 발표 수업을 없앨 수도 없고.

강범철! 넌 다음 주까지 시놉부터 다시 짜 와.

네에?!?!

아냐, 오늘은 좀 더….

뭔 소리야.

어, 선배!

안녕하세요!!!

선!!!!!

배!!!!

이 새끼가 왜 이래?! 존나 놀랐잖아!!

뭐야 벙벙 선배잖아...

하하.

안녕, 우승아.

그럼 작업 열심히 해~.

넵!!!!

우승이랑 얘기하다 잊어버릴 뻔했네.

뭘?

오늘 수업 때~ 평소랑 좀 다른 거 같았다고.

아냐.

별로….

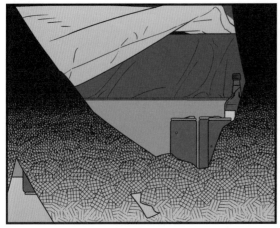

별거 아냐!!!!

그럼 됐고.

집에 가자.
오늘 현호도 일찍
온댔으니까.

오랜만에
룸메 다 같이
맥주나 마시게.

…그래.

밥 먹었나
물어봐야겠다.

……

15

수업 때마다 그러는 거야?

몰라, 맨날 내 것만 가지고 뭐라고 하는데….

…너도 맨날 김재희 것만 가지고 뭐라 하잖아.

똑같지, 뭐.

그건 걔가….

애초에 질의응답하는 시간인데 뭐가 문제야.

아니지, 비판과 비난은 분명한 차이가 있다고!!

짤랑~

어서오세요

그래서 너는 제대로 된 비판을 하고 있냐?

…과제 안 하고 뭐 하냐?

내가 지적한 거 고치려면 시간 꽤나 걸릴 텐데.

그러는 너는…!!

난 다 했거든. 수업 때 보자~.

이 자식이…!!

시끄러워, 강범철.

학교 앞은 이래서 안 돼.

빨리 먹고 가자. 술맛 떨어져.

휘

콜라 마시는 주제에.

드로잉은 괜찮은데… 연출….

움찔

네 만화엔 철학이 없어!
이야기는커녕 전달하고
싶은 뜻도 없잖아!

꼭 있어야 되냐?
없어도 돼!
만화가 그런 거라고
누가 정했냐?!

……

…어쨌든
그러니까…

…왜 내가
너네 집까지 와서…

그러게.
빨리 마시고 가라,
빨리.

너 가서
과제해야지.

시끄러워~!

이게 다
네가~!

떡

앗!

헉….

주

빨리 안 가?!!

ㅇㅇㅇ...

수... 술...

뭐?!

술... 술...

술 먹었더니
졸려...

끄으...

뭐라는 거야, 이 새끼야!!
뻥치지 마!!!

나 술 못 먹는데…
분위기 타서
막 마셨더니….

너 한 캔도
다 안 마셨잖아!!!

철

떡

26

야—!!!!

집에
콜라 있던가?

콜라
마실 거야?

음… 술 마시면
안 될 것 같아서.

그래,
마시지 마.

그런
대참사가….

오.

현호
와 있네.

기현호,
우리 왔어!

어— 잠깐,
나 샤워 중!!

쏴아아

27

야, 근데 술 사 와야 돼!

어, 그래?

내가 어제 다 마셨나 봐!

콜라도 없네.

전에 내가 계산했으니까 이번엔 네가 사 와.

알았어. 과자도 사 올까.

그래. 근데 너 그때 김재희랑 뭐 했냐?

너 꽤 취해서 오지 않았냐?

우리랑은 맨날 콜라만 마시면서.

오자마자 쓰러져서 뭐 물어보지도 못했네.

…뭐… 그냥… 만화 이야기 하다가…

…그때 얘기 하지 말자….

알았어. 빨리 갔다 오기나 해.

나한테 그런 술버릇이 있었나….

아닌데. 나 술버릇 바로 자는 건데….

술버릇도 이길 만큼 김재희 몸이 대단했나…?

기억이 잘….

…음… 형태는 어렴풋이…

꽤 좋았던 것도 같고….

슈바…
왜 이 타이밍에…

술….

너…

술 마시지
마라….

아… 안 마셔!
룸메들 거
사다 주는 거야!!

그러면서
또 분위기 타서
마시려고?

네 룸메들은
아냐…?

네 술버릇…?

뭐… 뭣?!

내 술버릇
그거 아니거든?!

뭐가 아니야.
너 그럼 제정신에
남의 몸 더듬는 거냐?

뭐?!
아니야!

기억도
잘 안 난다고!!

입에
침이라도 바르고
말해라.

으윽…!

31

너 진짜 왜 자꾸 사람을 패냐?!

죽어도 할 말 없다, 너.

기억도 잘 안 난다니까!

기억 안 난다고 하면 죄가 무죄가 되냐? 큰일 날 새끼네, 이거.

헉.

왜 그래?

으악!

미… 미안하다.

편의점 가서 반창고 사줄게.

음, 아냐.

어?

치료 값 대신
네 몸 한 번만 더
보여주면 안 돼?

제정신에 보면
내 드로잉에 도움이
될 것 같아.

어차피 치료하는 거
한 대만 더 맞으면
안 돼?

죄송합니다.

…집에 가자.
치료도 하는 겸.

어? 나, 너네 집
가도 돼?

진짜
보여주려고?

그래.
봐라, 봐.

진짜?!

이예~!

김재희
님~!

이야아아~

나의 드로잉
도우미~!!

……

그래.
어렴풋하긴 했지만,

역시 내 감이
틀리지 않았어.

너 왜
이 몸을 가졌는데
인체를 그렇게
그리냐?

야, 그냥 아무것도
안 하고 네 몸만 봐도
드로잉이 늘겠다.

죽을래?

이제 됐지?

그래. 네 덕분에
내 드로잉 스탯이
또 한 번 올랐다.

천재가 더 천재가
되겠어~!!

끄윽—

그래.

좋은 걸
직접 보고 만지면
드로잉이 늘지.

근데 그거 아냐?

전부터 생각했는데.

너도.

몸 꽤 좋거든.

내 몸 보는 거보다,
네 몸을 직접 보고
만지는 게 내 드로잉에
더 도움이 될 것 같은데.

어떻게 생각해?

나도 드로잉
한번 늘어 보자.

으...억...

나만
당할 수 없지.

2화

잠깐, 타임!!

없어, 그런 거!!!

너만 만지게 놔둘 줄 알았냐?

그냥은 못 넘어가지.

너 처음부터…!!

그래!

뜨헉! 간지러!!

야, 잠깐, 그래, 알았어!! 만지는 건 괜찮은데! 간, 간지러워!!

알았어. 가만히 좀 있어 봐.

너

대흉근 형태가 좋네.

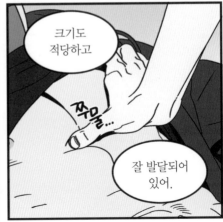

크기도 적당하고

잘 발달되어 있어.

복근도 나름…
너 설마 운동하냐?

안 해!!

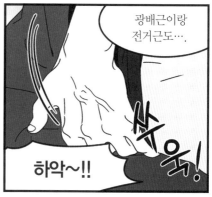

광배근이랑
전거근도….

하악~!!

쑈욱!

간지럽다고오~!!

ㄱ아악!!

너야말로
인체 책 따로
필요 없겠네~.

몸만 봐도
드로잉이 는다는 게
뭔지 알 것도
같고….

이해하기
쉽다, 이거.

쑤

욱…

아, 근데 나.
상체 근육은 그래도
대충 아는데,

하체는 전혀
모르거든.

싸

아-

43

너 왜,

지금 갈게!!!

뭐,

······

간다!!!!

······?!

···뭐···,

뭐지?!

기분 이상해!!

······.

?

갸우뚱

최근 네 작품 중에
작화에 신경을 가장 많이
쓴 것 같은데?

네. 몇 컷을
수정한 정도이긴
하지만….

흠… 재희 네가
원래 드로잉이 약한 건
아니니까.

갑자기 작화에
변화를 준 이유가 있어?

매번 같은 지적을
듣고 있기도 하고…

얼마 전에
인체 공부를 제대로 했더니
바로 효과가 있더라고요.

저, 인체 공부는
평소에 어떻게
하시나요?

음,
무엇보다…

인체를 직접 보는 게
가장 좋은 것 같습니다.

아~ 누드크로키
같은 거요?

뭐,
그렇죠―.

웬일로 조용하냐?

......

음, 그런데—

이 부분은 한번 생각해 봐야 할 것 같아.

평소 네가 그리는 주제가 인간의 외적 형태보다 내면…

인간의 본연 그 자체로 아름답다는 건데.

앗, 네.

원래는 항상 주제에 맞춰서 인체 드로잉을 일부러 죽인 거였잖아?

못 그리는 게 아니라.

물론, 이전엔 마감에 치였던 건지.

작화가 너무 난리 난 건 있었지만.

음... 드로잉에 너무 신경을 쓰다 보면

주제와 너무 동떨어지겠다는 생각이 들어.

조금 더 간단히 생략된 묘사가 네 만화에 어울릴 거라고 생각해.

대충 그리라는 건 아니고! 알지?

네….

오늘은 범철이도 조용하고 알찬 수업 시간이네~.

…!!!!

여러 번 말하지만 내 수업은 과제를 안 했으면 발언권도 없어~!

수업 끝~!

…!!!!!

그러게 과제를 왜 안 했어.

과제 안 해도 엄청 시끄러웠잖아, 너.

나 과제 안 한 적 없거든?

아, 그랬나. 몰라.

아니야!!

진짜야~!!!

뭐가 진짜야!! 빨리 불어, 이 자식아~!!

49

너네 뭐 하냐?

…우승아, 전에 빌려달라고 한 책 갖고 왔는데….

나 화장실 간다.

발언권은 둘째 치고

내 몸 보고 그린 그림을 본다고 생각하니까…

기분이 좀….

오늘 조용해서 너 수업 온 지도 몰랐다.

교수님이 말하실 때 알았어.

과제는 왜 안 했냐? 역시 능력 밖?

시끄러워~!!

뭐, 됐고.
같이 가자.

어딜?

우리 집.

내가 왜?

너 맥주랑 콜라
다 놓고 갔잖아.
가져가라고.

그리고 너…

오늘 아무 말도 못해서
입이 근질근질하지?

교수님 말고는
내 만화 얘기하는 거
몇 명 없는데,

괜히 나도 좀
아쉽더라고.

발언의 기회를
줄게.

이런 게
승자의 여유다.

웃기지 마.

술만 갖고 바로
집에 갈 거야.

그러니까—

인간이라는 형태 그 자체로

그 모습 자체가 아름답다는 것에 의미가 있는 거야. 나한테는.

외적인 아름다움만 추구하다가는

훗날 인간이 다 같은 형태가 되어버릴지도 모르는 거야.

너는 인간의 본연을 탐구해야 한다고는 하는데,

나는 형태적인 본연도 있다고 생각한다고.

모두 다른 형태적 본연을 말하기엔 이 세상은 미의 기준이 확고하고 그걸 깨기엔 너무 많은 시간이… 아니, 깰 수 있겠어?

푸

쉬

지구 인간 65억 모두의
본질! 본연! 근본!

좋아, 좋다고.
근데 65억 모두의
다른 형태도 있다는 거야.

인간은 생각하는
동물이야!

지구 인구 65억이
하나하나 다 다른 건
그 모두 다른 생각,
본질에서 오는 거야!

나는 또 다른 의미로
인간의 본연을
탐구하는 거라고…

다들 똑같은
형태만 그릴 때
난 다른 그림으로…!

상업화 속에서
그림으로
자유로울 순 없어.

그림보다는 이야기로
말해야지…!!

푸

쉭

야,
자지 마.

술도 못 먹는 게
왜 자꾸 마셔대는
거야?

설마
일부러 그러냐?

53

…뭐,

내가 먼저
부르긴 했지만.

……

야, 너…
자는 거 맞지…?

……

자는 얼굴
쓸데없이 귀엽네.

안 어울리게.
누구냐?

……

내가 지금 뭐 하려고 한 거지?!

…취했어, 취했어! 취했어!

그래, 취했어!!!

잠이나 자자!!

……

……

………

…어휴…!!!

풀썩

…그냥 잘 뻗했네.

씻고 자자….

—

—!!

미친!!

내가 왜!

……?

깜빡

여기서 잠을 자서!!

……

쾅!!

일단…

늦어도 가자….

쭈욱~

?

으응?

뭔가
이상한데….

왜옹—

……

……

……..

머엉

……

59

푸학!!!!!

핵!!

웬 이불?!

헤
헤떠
헤떠

나 이불
안 덮고 자는데!

아.

쟤가 덮어줬구나.

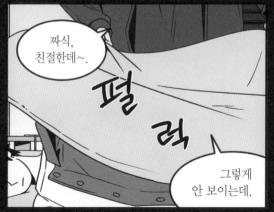

짜식,
친절한데~.

펄
러

그렇게
안 보이는데.

그나저나 난
왜 여기서 자고….

응…?!

푸학!!!

머리 왜 이래!!

으 하 하 학

아, 완전 웃기네.

혼자 보기 아깝다.

아하하.

하….

···? 뭐야?

나 방금 뭐 했어?

···내가 술을 먹어서.

술!.술을 먹어서!!!!

강범철,
두고 보자….

내 인생에 지각이
없었는데….

웅성

웅성

15분 뒤에 다시
시작할 거야~.

네~.

어딨어,
이 자식.

응? 왜 없지?

화장실 갔나?

죽성

죽성

다음과 같은 예시를 보면—.

요즘은 여러 가지 매체를 통해서—.

……

이 새끼….

수업 안 왔어…!!!!

과실에 있겠지….

두고 보자….

3학년에
아는 애 없는데.

그냥 들어가도
안 이상하겠지.

…하고 오긴
했는데….

3학년 과실

뭐, 늦잠 잔 건
나니까...

시간 지나니까
이제 딱히
화도 안 나고.

에잇, 몰라.

강범철만
보고 나오면 되지,
뭐.

근데
자리가 어디….

여기군.

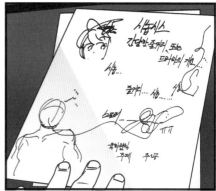

3화

보통 여행 계획은 철저 하게 세우는 편입니다.

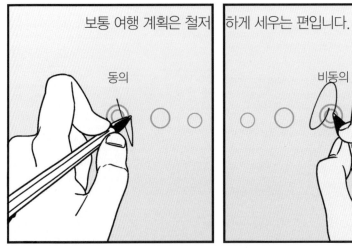
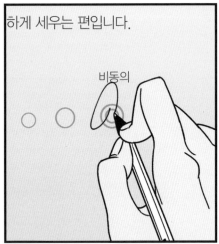

집과 업무 환경이 잘 정돈되어 있습니다.

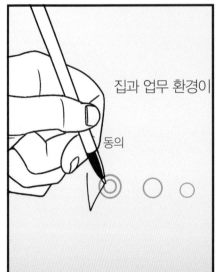
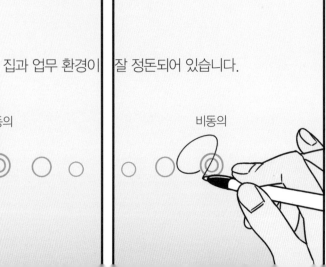

많은 사람들과 시간을 보낸 후에
에너지가 넘친다고 느낍니다.

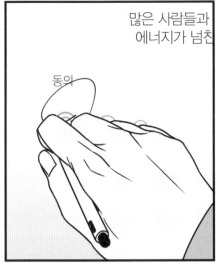

동의

비동의

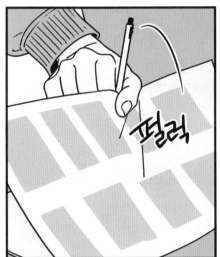

펄럭

펄럭

순전히 호기심 때문에 행동을 하는 경우는
거의 없습니다.

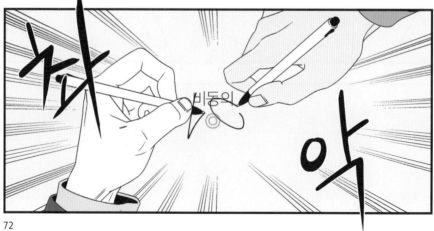

혹시 주변에 수업 빠진 사람 있으면 교수 연구실로 오라고 전해 주시고—.

결과는 다음 주 이 수업 시간에 설명과 함께 들을 수 있어요.

조교님이 뒤에서부터 걷고 계시니까 다한 사람은 내고 가면 됩니다.

수업도 할 거니까 과제 꼭 해 오고—.

다음 주에 봅시다!

오늘 성격 유형 검사 갑자기 왜 한 거야? 재밌긴 했는데.

그거 뭐, 취업 준비로 한 거 아니야? 적성 검사 겸….

취업률 높인다더니 별걸 다 하네. 우리 과에서 웬 취업….

취업은 둘째 치고 그냥 결과가 궁금하지 않냐?

예전에 그냥 인터넷에서 재미로 했었는데 기억이 안 나네.

아— 너 그때 나랑 같이해서 기억나는데….

너 나랑 거의 달랐던 듯….

근데 어떻게 같이 사냐? 성격 다른데?

그래서 쟤랑 방 같이 안 쓰잖아. 난 기현호랑 써.

쟤네 방 완전 돼지우리야…. 문 닫고 있어도 신경 쓰여. 존나 짜증 나….

현호 걔는 너랑 잘 맞냐?

완전~!

맨날 자기 전에 같이 코짱 보고 완전 재밌어.

옷도 같이 입어서 편하고.

너네 밤마다 완전 시끄럽거든?

존나 시끄럽고 개더러워, 진짜.

야…
그 정돈 아니거든.
정리 좀 안 한 거
가지고….

자기랑 반대인
사람한테 끌린다는 건
틀린 말인 건가?

너무 반대면 좀
싫지 않냐? 어디서
호감이 생긴다는 거야?

…호기심
아니야?

나랑 다르면
일단 신기하잖아.

…주변에 다
만화 그리는
애들밖에 없어서
잘 모르겠어….

다 좋아하는 것도
비슷하고….

아니….

다 같은 전공이라고
성향이 같겠냐.
너랑 나만 해도
완전 다르잖아.

맞아, 너.

김재희가 너랑
극반대 아니야?

너 걔한테
호기심….

…….

…알았어.
넌 비슷한 사람이랑
맞는 걸로….

근데 그저 호기심이
호감이 될 수 있는 거야?
극과 극인데도?

이런 거
아냐?

서로 정반대로
다르다고만
생각했는데…!

의외의 면?

아, 어,
그런 거.

어? 안 그럴 거
같은 사람인데…!
의외로…!!

…완전 클리셰
아냐, 그거.

어쨌든… 전혀 다른 줄 알았는데 비슷한 면이 있을 수도 있고.

서로 맞춰가면서 좋아질 수도 있는 거 아니겠어?

뭐, 그것도 사람마다 다 다른 거겠지만….

비슷한 면….

JJ 서로 있는 거 아니겠어요

비슷한 면 이라거나

별로 없는 것 같은데

JJ 요즘 서로 작품 얘기 많이 한다고 하지 않았어요?

너무 달라서 오히려 스트레스 받아요

그래도 재밌잖아요

JJ 그런 거

메시지 쓰기…

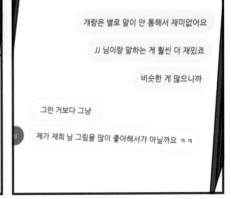

개랑은 별로 말이 안 통해서 재미없어요

JJ 님이랑 말하는 게 훨씬 더 재밌죠

비슷한 게 많으니까

그런 거보다 그냥

JJ 제가 재희 님 그림을 많이 좋아해서가 아닐까요 ㅋㅋ

오.

JJ 아, 전에 구한다고 했던 아트북

저 집에 있더라구요.

그거 주는 겸 언제 한번 볼래요?

그거 주는 겸 언제 한번 볼래요?

네! 좋아요

그럼 시간 날 때 연락할게요

가고 싶다고 했던 곳

거기에서 만날까요?

네 ㅋㅋ

흠, 역시…

잘 맞는 사람이
편하고 좋지.

강범철은
너무 시끄럽고…

JJ 님처럼
주제 해석도 제대로
못하고….

인간의 인체를
탐구…는 무슨…
그냥 인체 탐미주의라고.

……

강범철…

강범철…

……

강범철…

아악…!
나 왜 자꾸 강범철 생각만
하고 있는 거야?

심지어 JJ 님한테도
얘기했어…!

작업하자!!
작업이나 하자!!

카페 가서
작업하자!!

…그러고 보니…

전에 지각한 거 결국 못 따졌지.

그, 그래… 별다른 이유는 없어.

휙

나는 지금 충분히 이성적이다!!!

벌

컥

야, 너―.

요즘 갑자기….

없잖아? 맘먹고 왔더니만….

기운 빠지네.

뭐 하는….

사람도 있는 거 같으니 오늘은 그냥 가자.

아니, 내가 왜 아쉬워하고 있지?

너 선진 선배랑 사귀는 거야?!

뭔가
안타까워서….

정민아,
우승이 좀 챙겨 줘.

왜 저한테
그러세요.

정민이한테 떠넘긴 끌이 되었었는데
좀 죄책감이….

아직도 정민이랑
잘 지내나 보네.

…앗…!!
그래!!

우승이…!!

우승이가 이 과실에 있으니까.
우승이한테 말을 걸면서…!

3학년 과실에 눈치 보지 말고
당당히 들어오는 거야!

아는 애 없어서 들어올
때마다 눈치보였는데.
잘됐다.

···

연애 얘기는
사생활이니까 자리를
피하자···.

뭐, 사실···
3학년 과실 올 이유 딱히 없지만.

······

싸우러!

싸우러 오는 거야!!

......

작업하러 카페에 왔는데.

아무것도 안 들고 왔고.

왜 왔냐.

과실에서 자리를 피한 이유가
카페로 따라왔다.

내가 따라온 거
같이 됐네.

앗, 정민이는 카잖아.

......

우승이한테
말이라도 걸어볼까.

자연스럽게…

자연스럽게…!!

정민이랑 계속
잘 지내나 보네?

흠칫

STAFF

학원에서만 보다가
이렇게 보니까
좀 새롭다.

앉아도 돼?

헛, 재희 샘…!
안녕하세요…!!

오랜만이다. 잘 지냈어?

앗, 네…. 샘도 잘 지내시죠?

말 건 김에 과실 갈 때 따라가자.

…사실, 샘 인스타 구독하고 있어서 작품 계속 보고 있어요.

아, 그렇구나. 몰랐네, 고마워….

음?

근데, 너….

되게 아기자기한 배경 일러 위주로 그리지 않아? 내 거랑 많이 다를 텐데….

앗, 샘… 제 그림을 어떻게… 기억….

아니, 뭐… 가르쳤으니까….

작년부터 좀 어두운 작품을…
제가 선진 선배 그림을
좋아하거든요…!

응? 선진?

그런 애가 있었나?
어두운 그림을
그리는 선진…?

아, 아까 말한
사귄다는 사람인가.

아,
김선진 선배요.

재희 샘보다
한 학번 낮은데
나이는 같고….

아.

?

아~~~~~~~
사귄다길래 당연히
여자라고 생각했어~~.

그 선진이구나~
아, 내 편협함
완전 부끄럽다….

선진이, 그래 알지. 강범철 친구인…

그래…!!

강범철 친구구나!!

우승아.

네?

말 나온 김에 선진이한테 인사나 하러 가자.

그래도 네가 내 제자였으니까…

네?

아니에요, 샘. 괜찮은데….

아냐~.

…나 왜 이렇게 필사적인 거지?!

……

전우승,

없어, 과실에.

그러네.

너 요즘 왜 자꾸 3학년 과실에 오냐? 짱나게.

그야, 우승이가 3학년이니까….

전우승 2학년이거든?

어?

2학년 과실에 자리 없어서 정민이가 자리 빼준 거야.

친한 줄 알았는데 친하지도 않은가 보네. 학년도 모르냐?

아, 아니. 학교 얘기는 거의…

이건 진짜니까~!!

그, 그냥! 만화, 작품! 얘기만 주로 하니까!!

…뭐야.

맨날 같이 다녀서 존나 친한 줄 알았네.

…너 왜 이렇게 짜증 내는데?

뭐어~?! 그런 적 없거든~?!

지금 뭔데, 그러면? 내가 전우승이랑 친하면 안 되냐? 왜?

뭐라는 거야.

네가 자꾸 과실 와서 내 눈앞에서 알짱거리는 게 싫은 거거든?

언젠 교수님 말곤 만화 얘기할 사람도 없다면서….

…그럼.

오랜만에 우리 집에서 만화 얘기나 할래?

…….

그래.

벌떡

만화 얘기할 친구도 없는
네가 불쌍해서
내가 잠깐 가준다~.

싫음 오지 마!
너 말고도
얘기하는 사람이랑
내일 약속 있거든…?!

데구르르…
···

그러니까 조금만 얘기하고
바로 가라. 저번처럼 또
취해서 자고 가지 말고.

알았다고~
나 이제 술 안 마셔~.

하~ 역시 술 마시면서 만화 얘기하는 거 재밌네~. 너랑 맞는 건 하나도 없지만~.

그래도 비슷한 거 있나 찾아보는 중이야~.

술도 못 마시는 게 왜 자꾸 마시냐?

못 마시는 거랑 좋아하는 건 다르거든~?

그거는 비슷하네~. 난 잘 마시지만~.

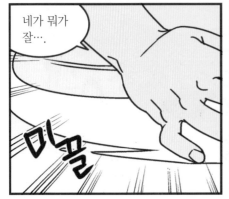

네가 뭐가 잘….

아이고.

아, 진짜—
제대로 엎었네….

알딸딸—

이건
씻어야겠다….

나 연락 올 데 있으니까
폰 울리면 알려줘.

그으래~.

지금 몇 시지….

JJ 님 연락 올 때가
슬슬 됐는데….

아, 그런데
술을 너무 많이 마셨네,
으으….

우으…
열기 때문에
취기가 더….

야, 너
휴대폰 뭐 와.

아, 고맙….

이야~~
역시 몸 좋네~!!

뭐야, 하지 마.
빨리 나가!

에이~ 왜~.

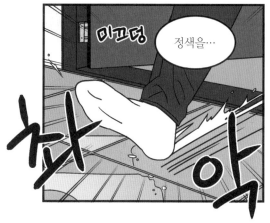

미끄덩

정색을…

하…

어?

퍽

아ー!!

앗!!!!!

4화

너! 뭐 하는…!!
큰일 날 뻔
했잖아…!!!

아… 폰!!

내 폰!!!!

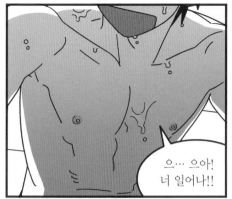

으… 으아!
너 일어나!!

폰 다 젖어!!

뚝

뚝 · 뚝

야! 뭐 해!
일어나라고!!

…난 지금
취했어.

뭐?! 일어나,
무거워!!!

나는 지금
취했다….

야, 무거워!!

야, 나 진짜
떨어트릴 것 같아.
왜 안 일어나?!

헉, 맞아…!!
JJ 님…!!!

폰…!!

폰…

……

……

허억.

아, 그게,
취해서,

입.

그, 그러니까
이건,

입.

그대로.

가만히
있어 봐.

어?

~~~?!?!?!!!!!

흐읍!

뭐…!!

뭐를…!!!

하려면 제대로 해야지,
입만 갖다 비비고.

너 눈이 맛이
갔는데?!

조용히 해.

......

......

…너…
약속은….

…휴대폰
망가졌으니까….

미, 미안하다….

넌…

집에
안 가도 돼?

…….

빠

헉,
그러니까,

내가 아까
자고 가지 말라고
했는데,

뻘쭉

자도 된…
아니, 그니까,

이게 가지 말라고
붙잡는 건 아니고,
그게….

…나.

아직 옷이
안 말랐어.

그래서…

못 가.
집에.

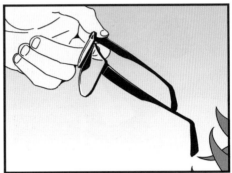

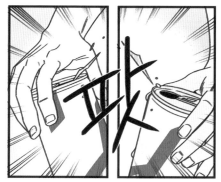

좋아하는 애
자꾸 채가니까
짜증 나는 거지,
뭐.

나보다 오래 알아서
얘깃거리도 많아 보이고…

나랑 있을 때
매번 데려가니까.

개 게이야?

아니~!

…아니!!
아닐걸?!

푸쉭

아니면
아닌 거지,
아닐걸은 뭐야.

연애하는 거
본 적이 없어서…

…가 아니고,
관심이 없어서
했어도 모르겠다.

애초에…
우승이 일 말고는

이전에
얘기해 본 적도
없어.

털썩

아, 걔야. 그, 왜.
강범철이 욕하는.

맨날
싸운다는?

어. 걔.

아직도 그러나?
나한텐 요즘
별말 없던데.

몰라, 관심 없어.
내 연애도 벅차.

강범철한테
말하지 마라.
우승이 얘기.

왜 해. 걔는
모르잖아, 너….

응, 근데 앤 왜 안 들어와?
오늘 안 들어온단 말
없었지?

어.

너한텐
연락 꼭 하던데
요즘 왜 그래?

그러게.

항상
나한테는…

다 말했었는데.

강범철

나 1층에서 기다리고 있을까? 오후 7:38

ㅇㅇ A-41 받아와 오후 7:38

2층 문앞에 있음 오후 7:38

너 오늘 집에 들어와? 오전 12:41

어디야? 오전 12:41

우당탕탕

별컥

왔냐.

어―.

…어젠 뭐 하느라 연락도 없이 안 들어왔어?

아….

선진이가 너 과실에도 없었다고 하던데.

아~
그게…

훌렁

그게…
일이 좀….

나 수업 가야 돼.
이따 얘기하자.
나 네 티 좀 입는다.

오늘 목요일…
기현호,
너 수업 없지?

응.

그럼 나
외장하드 좀
빌려줘.

부욱

이젠
내 건지 네 건지
헷갈린다.

웬만하면
하나 사.

알았어,
땡큐!

오늘은
들어와?

응, 아마~.

116

야, 너 애랑 놀지 마.
전에 애네 집에서
보니까….

으아, 내가
뭔 말을 하는지도
모르겠다…!!

뭐? 집?
집에 갔다고?

뭐?! 무슨 말을
하는 거야, 이 새끼!!

일단
뱉고 보자!!

가서
보니까

집 안이
온통 검…!

가자!!

저 개자식…!!

야.

나랑 얘기 좀 하자.

꺼져, 내가 왜?

네가 때린 데 아직도 아프거든?

네가 먼저 입 털었잖아~!!

그러니까 왜 자꾸 과실 오냐고!

신경 쓰이게!!

신경 쓰고는 있냐?

너 어제 있었던 일,
기억은 하는 거지?!

으...
으응...??

네가 무슨 말
하는지 나는 잘
모르겠는데...?!

너 나랑 뽀뽀

으악!!!!!

술 먹고 뽀뽀

악!!!!

화장실이랑 침대에서
뽀뽀했잖아!!!

아악!!!!!!!!

주룩...

이 자식이...
자기가 먼저 한 주제에.

그래, 됐다....
그건 그렇다 치고,
얘기 좀 해.

나는 너랑
그 일을 떠나서...

안 맞는 걸
풀고 싶다는 생각이
요즘 문득….

그래, 좋아.
나도 그 생각
안 한 건 아니니까.

그럼 같이
코짱을 보자.

왜 얘기가
그렇게 튀는데?

나는 너를 이해하고
싶은 거지,
그 애니를 굳이….

아니,
생각해 봐.

너는 내가 좋아하고
추구하는 작품 방향을
무시하고….

인간의 본연이니
어쩌니 하면서
나도 무시했잖아.

아니,
무시까지는….

내가 그렇게 느꼈음
무시한 거지, 뭐.

…그래, 이런 것부터
시작이겠지….

응, 좋아.
그러면!

마침 외장하드도 들고 왔으니까, 방 잡고 보자!!

뭐?!

방을 잡아?!

?

너희 집에 컴도 TV도 없잖아.

자, 가자!

아니,

나는,

별로,

싫은데!!!!

둘이서만 모텔 방이라니, 강범철 미쳤냐.

…….

네가 먼저
알려달라고
했잖아!

…….

아니,
그러니까,

일단 들어가 보고
얘기해!

있어봐.

먹을 것 좀
사 올게.

잠깐!!!

괜찮아,
사 오지 마.

그래, 여기서
애니 보고 노는 건
좋은데!!

너, 또
술 사 올 거잖아!

기억 안 난다고
모르는 척할 정도면,

......

난 다시 실수
안 하고 싶거든?!

...알았어.

오.
생각보다…

나쁘지 않은데?

그치!!!

응. 마케팅 전략이
확실히 잘 보인다.

그런 것보다, 좀 더…
그래, 하나 더 보자!

아니…
그… 그래….

응?

이 폴더에
있을 텐데….

딸깍 딸깍

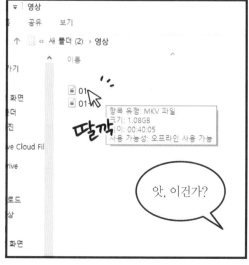

= 영상

공유   보기

↑ « 새 폴더 (2) › 영상

이름

01
01

항목 유형: MKV 파일
크기: 1.08GB
이: 00:40:05
사용 가능성: 오프라인 사용 가능

딸깍

화면
더
진
ve Cloud Fil
rive
로드
상
화면

앗, 이건가?

이 영상
맞나…?

이번엔
뭐 보려고 하는데?

어… 진짜 대박인 영상이 있는데….

이거 왜 소리가 안 나지?

뭐 잘못된 거 아니야?

아닐 텐데….

딸깍

SUGA (E:)

뒤로 넘겨 봐.

응….

치익— 치이익—

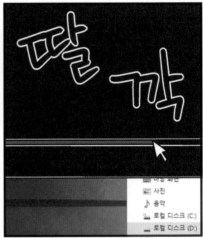

딸 깍

미정 화면
사진
음악
로컬 디스크 (C:)
로컬 디스크 (D:)

…!!!

!!!!!!

5화

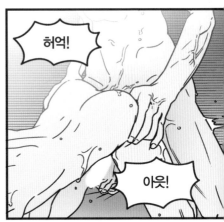

잘…

못….

…!!!

…!!

저게…

가능해?!

끌

끼익

치익—!

대박이긴 대박인 영상이네.

굳이 모텔로 오자고 한 것도 그렇고… 노렸냐, 너?

아니, 뭘 노려!!

이 외장하드 내 거 아니라고!!

그래…….

룸메 거야, 이거!

이런 거 들어 있는지 나도….

평정심….

알았어!

…집 가야겠다. 너도 집에 가고.

애니메이션은 좋았어. 네가 왜 좋다고 하는지 좀 알겠더라.

뭐, 자세한 이야기는 나중에 하기로 하고….

나 먼저 나가 있을게.

뭐 챙길 것도 없으니까 빨리 나와.

잠깐!!!

덥석

뭐야.

왜 그래?

그….

뭐?!

저기,

두근

평정심…!!

잠깐.

꽈악

평정…!!

평…!!

두근

팟

덥석

덥석

팟

팟

대체 왜 그래…?

잠깐… 가지 말아 봐.

나⋯

술 사 와도 돼?

중얼

돼⋯.

넌 아름다운 인체를 사랑하지.

응.

내 몸을 보고 예쁘다고 했어.

응.

넌 거기서 착각하는 거야!

뻑

너

멍청아!!

웃기지 마!

내가 몸 좋으면 다 자자고 하는 사람으로 보이냐?!

어… 나한테 지금 좀 충분히 그래 보여….

아니거든!!

그럼 뭔데?

호…,

호기심?

하아…

그러는 너는 왜
나한테 휘둘리는데?

나라는 인간
본연을 보고?

뭐…!

좋…,

좋아….

범철이

좋아해요?

갑자기 왜
이 생각이…!!!

간다.

뭐야,
어디 가!

어디 가냐고!!

왜 따라왔어!
너네 집에 가라고!!

네가 따라오는 거
아무 말도 안 했잖아.

냉장고에
술도 많고.

역시 여기가
준비된 장소였어.

너야말로 노린 거
아니냐?

마실 거야?

……

퍼

억

악!

아〜!

장난하냐?!

뭐야?!

난 분명 안 한다고 했는데
네가 계속 하자고
한 거니까.

너도
술 마시지 말고
제정신으로 해.

…너도 책임 있어.
이번엔 회피하지 마.

…노린 거
맞네.

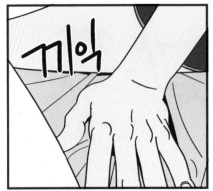

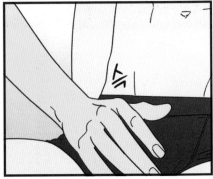

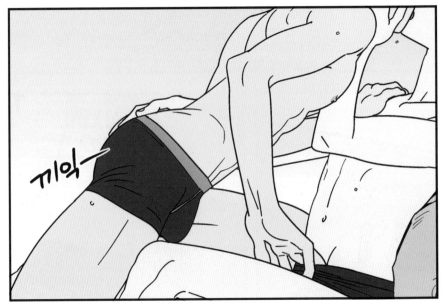

흐읏!

퍼억

하아...

스...

움찔

윽

훡

!

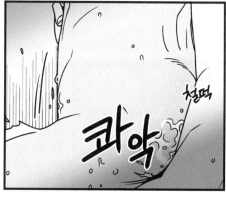

철떡

콰악

좋아하는 걸까요?

네.

저한테까지 얘기할 정도니까요….

크윽…

죄송해요. 당장 제가 너무 급해서….

JJ 님 오랜만에 만난 건데 이런 얘기나 하고.

오늘 계속 그림 얘기는 하지도 않네요.

저번 약속도 연락 없이 깼고….

그 이유 설명하다 자연스럽게 나온 얘긴데요, 뭐.

평소에도 종종 그 친구 얘기 했었고….

갑자기 갔다는 얘기해서 좀 놀라긴 했지만….

전 이런 얘기 듣는 거 재밌어서 좋아하기도 하고

재밌다고 하는 거 실례이긴 한데….

좋아하는 거 너무 뻔한데 혼자 모르니까….

예?! 그래 보여요?!!

만날 때마다 싸우기만 했는데!

진짜로 싫으면 대화 자체를 안 하지 않아요…?

그런데 재희 님은 싸움을 걸어도 항상 대답 다 해주고.

아니, 무시할 수는….

싫으면 해요.

맨날 집에 데려오고.

데려온 건 아닌데.

그 정도면 데려온 거죠.

이해하려고 노력하고.

노력까지요?

흐륵…

노력했잖아요.

심지어 잤어….

걔가 먼저…!!!!

어쨌든 좋았잖아요.

…….

…네. 너무…

너무나… 이래도 되나 싶을 정도로….

으쓱

크으윽

좋아하는 걸 모르는 게 더 신기한 정도라니까요….

…만약 좋아하는 게 맞으면

너무 달라서 왜, 뭐가 좋은 지도 모르겠는데….

음…. 원래 그런 거 아니겠어요….

…사실 저도 재희 님 그림 처음 보게 된 게…

마이너한 감성의 그림을 그리는 사람을 이해해 보려고 찾아본 거 였거든요.

누군가를 이해하려는 목적이 있었죠….

사람마다 다를 수는 있겠지만. 좋아하면…

나랑 다른 그 사람의 모든 걸 이해해 보고 싶잖아요.

그래요?

그래요.

아니, 근데…

너무 갑자기….

상대는 어떤 거
같아요?

피식

음….
잘 모르겠어요.

왜요? 그쪽도
나름 마음이….

아니,
그게, 음…

…할 때
분위기가…

153

한마디도 안 해서.

나만 좋았나 봐.

원래 잘 때 아무 말도 안 하는 거야?

야, 빨리 말 좀 해 봐.

……

네 영상 틀어서 이렇게 된 거니까 책임지라고.

너랑 음담패설 하기 싫은데….

이게 무슨 음담패설이야.

그럼 뭔데?

몰라, 고민 상담? 나보단 네가 더 잘 알 거 아니야.

…뭐냐,
너 남자랑 잤냐?

어.

언제부터
사귄 건데?

어….

사귀는 거
아닌데.

…….

너 요즘 뭐 하고 다니냐?

6화

뭐 하긴.

섹스…?

왜.

…….

뭐.

너 뭐 위험한 거 하고
다니는 건 아니지?

상대는
믿을 만해 보여?

어~ 괜찮아, 괜찮아. 원래 아는 사람이야.

흠….

…좋아하는 거야?

아니?

…좋아하는 것도 아닌 그냥 아는 남자랑 어쩌다 섹스까지 하냐?

이게 다 네 영상 때문이라니까!

네 영상 보다가 호기심이 좀 생겼는데,

그냥 걔랑 하고 싶었어.

…….

…바보냐.

뭐,
이 자식아—.

사람 관계마다
다르기야 하겠지만,

할 때 그냥

말하고 싶은 거
말하면 되지.

말하고 싶은 거?

뭐… 좋으면 좋다…
너무 생각하지 말고.

근데, 뭐.
굳이 말 안 해도
되지 않아?

음…

좋으면
좋다고….

똑똑

네ㅡ.

끼익ㅡ

……

네가 왜 와?

오면 안 되냐?
올 사람 있었어?

아니….
배달 시킨 거
있어서.

당연히
그건 줄….

왜 들어가?

탁

뭐 시켰어?

나도 먹을래.

풀썩

왜 자꾸 와?

너 과제랑 과제전 작업 안 하냐?

나 과제전 거의 다 했는데. 완전 여유.

과제도 다 했어.

뭐?! 언제?!

난 너랑 달리 천재라서….

집에 가라.

아무튼…

너 시간 있어?

없어. 작업해야 돼.

하아…

과제전보다 졸작이 훨씬 많은 거 너도 알잖아.

밥 뭐 시켰어?

풀썩

햄버거…가 아니라, 듣고 있냐?

162

나 진짜
작업해야 하니까
집에 가.

......

......

뒹굴

......

똑똑

…알았어. 그럼,
밥 먹고 가.

알았지? 가!

알았어.
와~ 공짜 밥이다~.

11,000원
입니다.

감사합니다.

야, 이거
세팅 좀 해.

나 손 씻고
올….

덜컹

뭐 해?!!?!!

러~

밥 먹고

가라니까!

응, 밥 먹고
갈 건데.

지금 먹는다곤
안 했으니까.

앗.

왝

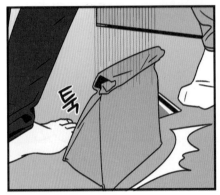

툭

아~ 진짜!!

165

가위바위보 안 해?

…됐어.

그냥 저번처럼 해.

엥. 그래도 괜찮아?

뭐, 하기만 하면 됐지. 무슨 상관이야.

너랑 하는 거 기분 좋았으니까 됐어.

어디 가?

화장실.

딸깍

뭐야, 빨리 갔다 와라~.

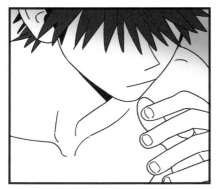

크흡.

화

악

~~~~!!!!!!!

뻑

뻑

뻑

뭐 하냐?

선진아.

응?

나 책 좀 빌려 간다.

응.

♪ ♬

♪ ♪ ♬

기분 좋아 보인다.

음… 응.

공모전 됐어?

아니.

그건 한참 멀었어.

그럼 뭔데 흥얼거리기까지 하냐?

음….

?

…좋아하던 애가

이성애자인 줄 알았는데.

아닐지도 모르겠어.

……

……

어…

음…
그렇구나….

?

아니, 너는
이런 얘기 한 적이
별로 없어서….

왜, 예전에

좋아하는 사람
생겼다고 얘기했을 때
말곤 전혀….

그랬나.

근데 어떻게
알았어?

너한테 자기가
게이래? 아, 바이?

아니.
남자랑 잤대.

어.
음. 그래.

너랑 잔 건
아니고?

응.

그래, 뭐…
가능성…

중요하지.

네가 상관없으면
괜찮은 거고,

응.

풀썩.

좋아하는 것만
아니면 상관없어.

뭐야, 이제까지
여자 좋아했던 애가

좋아하지도 않는
남자랑 잤다고?

대단한 애
좋아하네, 너.

음… 근데
바보라서.

내가 볼 땐
좋아하는 거 같은데

본인이
모르는 거 같아.

171

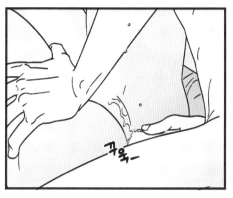

어….

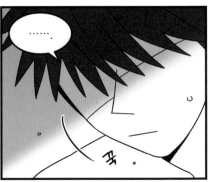

……

……

뻐끔 뻐끔

뭐… 좋으면 좋다고….

어….

으앗!

으…!

괘…
괜찮아?

…어…
그냥 좀 놀랐어.

딴생각하다가….

허….

이 상황에
딴생각하고,
여유네.

난 완전…

정신없는데….

……
진짜로….

정신없다고,
난.

좋아서….

하….

좋…,

좋…,

존…나 뭐 하냐?!
제대로 안 할래?

뭐어?!

콰

으악!

앗, 야…!!
갑자기!

으읏!

제대로 안 하는 건 너 아냐?!

딴생각이나 하고…!!

아니, 그게!

앗!

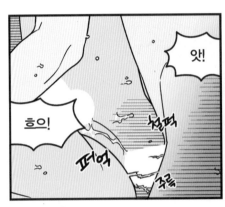

앗!

흐의!

네가…

네가 너무 못하니까 딴생각 든다고!!

내가 했으면 더 잘했을 거야!!!

아~ 진짜 제발 조용히 좀 해~!!

네가 이대로
하겠다며!

퍼억

퍼억

아, 그게…!

그, 러니까,
아,

퍼덕
퍼덕

웅절

웅절

아…!!

아앗…!

푸쭛

자, 먹어.

와~ 햄버거~.

큰 거
네가 먹어.

…….

나.

우걱

우걱

이런 거 별로…
안 물어보고 싶은데.

…꼴사나워서.

있잖아,
너….

?

우걱

우걱

나랑 하는 거
좋아?

응.

우물

우물

근데 너,
왜….

어? 어….

너 왜 안 먹어?
좀 먹어.

…좋아.
좋은데….

우물…

뭔가 말을
해야할 것 같은데,

ㄷㄷ

무슨 말을
해야 할지 잘….

아깐 그냥.

너랑 맨날
티격댔으니까,
그냥….

근데 뭔가 좀.
잘 안 됐어.

?

안 먹었는데
왜 버려?

음… 한 번 더 하게.
잘 안 됐다며.

그래! 이번엔
잘해야지.

……

어휴…
강범철….

이 바보가.

7화

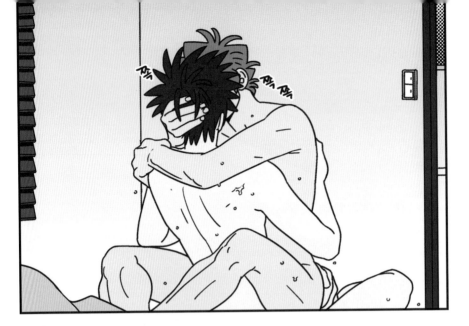

하아….

뭐 해?

지긋…

......

꾸욱

꾸욱

콰악

아ㅡ!

철퍼

갑자기 뭐야?!

네가 또
딴생각하니까.

으응, 네가
여전히 못해서

푸하

집중이
안 되네.

...바로
가게 해준다.

쓱
쓱
쓱

어디 한번
해봐라.

으…!

하…

이러다 너만 가겠는데…?

조용히 좀 해.

윽!

아파…!

나 교양수업 리서치 해야 하는데 도와줘.

너넨 사귀기 전에 진도 어디까지 가능하다고 생각해?

키스!

오, 센데….

무슨 수업 리서치가 그러냐.

성의 이해.

다들 이 정돈 하지 않나?

보통 못 하지. 상대방 마음이 어떤지 모르잖아.

…….

서로 좋아하는 게
확실하면 키스.

아니면 절대
티도 안 내.

넌?

난… 지금
여친이랑 썸 탈 때…

손 잡았어.

…귀엽네.

강범철,
넌 어때?

몰라,
뭐 썸을 타봤어야
알지.

너 여친
있었잖아.

재수할 때
학원 같이 다닌 게
단데, 뭐.

둘이 밥 먹고
애니 얘기하고. 끝?

그냥
친군데?

진짜
그게 다였어.

맞아, 너.

대학 와서는 쭉 누구 사귄 적 없었지.

뭐 이유라도 있어?

야, 안 돼. 물어보지 마!

왜냐면….

파아앗

아, 장난하지 말고.

좋아하는 사람이 있어야 사귀고 말고 하지.

이건 그냥 물어보는 거잖아. 빨리 말해봐. 어디까지.

아, 진짜. 귀찮게.

…….

…몰라.

천재는
그림 그리느라
바빠.

아,
그러서….

아, 맞다.
강범철.

너 전에 우승이랑
술 마시고 싶다고 했지.
오늘 마실래?

음… 그럴까.

나 옷 갈아입고
다시 연락할게.

근데 너, 진짜 술 마실 거야?

나 네 뒷감당 하기 싫은데.

안 마셔.

나 술 끊었어.

내가~ 그 말을~ 오백 번은 들은 것 같다.

어, 나도.

뭐어~?!

이제 진짜 안 마신다고~!!

안 믿어.

안 믿어.

…끝까지… 안 믿었어야 했는데….

난 왜… 술 마실 때 안 말렸을까….

하. 하. 하.

하…

꽈아악…

나 왔어.

어, 일찍 왔네.

안녕하세요

애 완전 뻗었어.

집으로 데려가면 되지?

안녕하세요...

응. 매번 고생한다. 미안해.

뭘. 이 덩치를 네가 어떻게 할 수도 없고.

야, 일어나.

쑤욱

간다! 잘 놀아라.

잘 가.

야, 제대로 좀 걸어. 무거워.

응.

응.

비틀

으...

정신 차려라.

이 정돈 해도 돼.

빠

악

아악!!!

아~ 진짜 아파.

너무해.

너무한 건 너지.

에효....

...야, 있잖아.

보통... 보통? 보통이라는 게 뭐지? 여튼, 보통...

사귀기 전에 자는 거가 보통...? 은 아니지?

이상한 거야?

아니, 별로
안 이상한데.

너,
좋아하는 거
아니라며.

너무 깊이
생각하지 마.

음…
그럼….

잔 다음에,
자고 보니까
좋아하는 것 같으면,

이상한 거야?

아까…

김재희…랬나.

아니~ 내가 지금 좋아한다는 건 아니고~.

혹시! 설마! 그렇게 되면 어떡하지~?! 그런….

걱정~?!

너 술 깬 거 아니냐? 그만 기대. 무거워.

삑 삑

삑 삑

네가 문을 빨리 열어~!

열고 있잖아.

삐리릭—

와~ 집이다~!!

딸깍

벌컥

제발 조용히 좀 해라….

야, 너 안 씻어?

으응….

귀찮아…
나 내일 8시에
좀 깨워주라.

흐으~.

……

씻고 와라.

하루쯤 그냥 잘 수도 있지!!

없어. 빨리 씻고 와.

너랑 같은 방에서 자는 내가 고통이니까.

무슨!

아, 술 마시기 전에 샤워하고 나갔다고~!

또 씻어,
더러운 자식아.

아억!

알았다,
알았어.

훅!

그냥 걔랑
하고 싶었어.

자고 난 다음에
좋아하는 거면….

그렇게 되면
어떡하지 하는 걱정?

그런 얘긴
수업 때 하라고.

쓰윽

야, 너 오늘
자고 갈 거야?

톡...

몰라? 보고.

너, 갈 거면
칫솔 챙겨.

음... 그냥
놓고 갈래.

이제 일주일에
두세 번은 오는데….

올 때마다
매번 사는 거
아깝고.

놓고 가도
되지?

어, 뭐….

아,
뭔가 점점….

관계가…
마치….

두근….

이 작가
좋다.

뭐 보는데?

네가 전에 좋다고 했던
작가 거.

너 아니었음
안 봤을 텐데.
이런 느낌도 좋다.

내가 좋다
그랬잖아.

응…. 좋네.

…이제 별로 싸우지도 않고.

♪

♪♪

달랐던 부분도
왠지 맞춰가는 느낌이고.

재도 생각이 없는 건 아닐 텐데…

생각은 하고 있겠지?

이 관계가 좀… 묘하다는.

사실 좋아한다고, 사귀자고만 안 했지. 거의…

…아냐, 이게 제일 중요한 건데.

그리고 쟨 나를 어떻게 생각하는지도 모르고.

너무 본능대로 행동하는 애라 무슨 생각을 하는지 모르겠어.

물어보고 싶으면서도…

지금 이것마저도 끝나면 어떡하나.

호기심과 기대가

동시에···.

······.

있잖아,
너···.

응?

그··· 저기.

또? 지금은
하기 싫은데···.

아, 아니.

그게 아니고.

그… 할 말이…

?

…넌 어떻게 생각하는지 궁금해서.

지금 우리가… 하는…

일들이나….

잠…

잠깐.

네가.

띠♪리리♪링

…나,
오늘은 갈게.

뚜 뚜 뚜…

무슨 일 있어?

아냐,
별일 아냐.

갈게. 나중에
얘기하자.

어, 어….

덜컹!

삐빅

급하게 갈 정도로 큰일인가.

…피한 건 아니겠지?

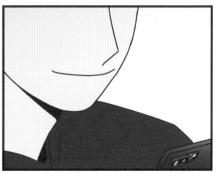

8화

철컥
삐빅,

우당탕

콰앙!!

야…

너…

죽여버린다…!!!

빙글

왔어?

책 꺼내다가 실수로
상자가 떨어졌는데.

성큼

성큼

흠집이 좀
난 것 같아서.

근데 없더라고!

꼼꼼하게
다 확인했는데
없었어.

이것 때문에
급하게 왔는데
미안하다.

내가
뭐 방해한 거
아니지?

…나중에 흠집 하나라도
보이면 그 수대로
맞을 줄 알아라.

에이, 그럴리가.
내가 널 아는데.
확실하게 봤지.

흠….

괜찮다고
다시 연락하려고
했는데,

네가 생각보다
빨리 와서.

아냐, 뭐.

어차피
오려고 했어.

왜?

자고 오려는 거
아니었어?

아니,
오늘은 좀.

?

분위기가…
별로….

네 전화가
타이밍이 좋았어.

…왜?

그…

……

아냐, 딴 얘기하자!!

그래! 생각하지 마!

와항!

야, 얘기 좀…

미안! 나, 룸메가 불러서 가야 돼!!

얘기 좀 하…

야, 너 현호가 잠깐 나오래.

얘기…

뭐?! 만화책에 커피를 쏟아?!

뻘떡

애.

룸.

기.

메.

....

이거… 피하는 거 맞지…?

하…

아무리 룸메가 불러도 이 정도는…

내가 무슨 얘길 할 줄 알고.

본능의 감인가?

아냐, 그때 좀 티 나긴 했…지.

고백할 것처럼 보였을지도 몰라.

…역시 그것밖에 없나.

강범철은 날 좋아하는 게 아니라서
그런 분위기를 피하려고.

219

…나랑 하는 거 좋다고 하고

대화도 하려고 노력하는 거 같아서
조금은 비슷할 줄 알았는데.

덜컹

차각했나 봐.

나랑은 왜 잔 거야?

진짜 무슨 생각 하는지 모르겠다.

윽.
수업이나 가자…

휴

너···!

으

허.

나 이제 수업이라서
안녕!!!!

야···!!!

왜 자꾸 붙어?!
꺼져!!

아, 쫌만···.

너무 대놓고
피하는 거 아니냐.

안녕하세요~.

안녕하세요~

이번 주는··· 앞으로의
수업 내용을 설명하는···
뭐, 오리엔테이션이라고
보면 되겠어요.

이번 주부터 종강까지
뭘 할 거냐면~.

퍽

으휴~.
신경 쓰지 말고
수업이나 듣자.

팀 과제야~!

예??

그래, 반응이
안 좋을 줄 알았어.

팀 과제…

한 번쯤은 이렇게라도 미리 경험해 보고

같이할 사람 없는데….

자신과 맞는 작업 방식을 찾는 게 필요하다고 생각해서.

혹시 모를 상황에 대비해서 팀워크의 완성도 외에

개인의 노력도 중요하게 볼 거니까 걱정 말고.

야, 나랑 같이하자.

싫은데.

이미 팀인 친구들도 있지? 그 친구들은 그대로 하고.

오늘은 조사만~

같이 하고 싶은 사람 있으면 말해 봐.

출석부대로 부를게. 강범철~.

네…!

너 선진이랑 할 거야?

네!

아니요.

그래? 친구라 같이 할 줄 알았는데.

야…!!

친구 아닌데요.

처음엔 성향 잘 아는 게 편할 것 같아서.

그럼…

재희랑 할래?

예? 저 애랑 더 친구 아닌데요!

이렇게 미리 정하는 게 어딨어요!

나도 좀 껄끄러운데.

너네 싸워대긴 해도 내가 볼 땐

서로를 제일 잘 알고 있는 것 같아서.

당사자가 모르는 버릇이나 습관까지 기억하고 지적하고

작품 패턴까지 꿰고 있잖아.

그건 까려고…!

뭐? 까려고?

교수님, 저도 좀….

이젠 됐어.

재희도 싫어? 그럼 어쩔 수 없네.

재밌는 조합일 거 같았는데 아쉽다.

그럼 혹시 지금 정한 사람 있으면 말해 볼래? 남은 사람들끼리 맞춰보자.

정한 사람~?

팟

팟

팟

팟

어머, 벌써 다들 팀 정한 거야?

이 정도면 범철이랑 재희는 자동으로 팀이겠다.

이…!!

이런 게 어딨어!!!!

……

콰앙

선배 피드백 무서워서 같이하기 싫어요.

…망했다….

4권으로 이어집니다.

욕망이라는 것에 대하여 **03**

초판 1쇄 인쇄 2022년 3월 28일
초판 1쇄 발행 2022년 4월 13일

글 그림 김공룡
펴낸이 정은선 **펴낸곳** ㈜오렌지디

책임편집 이은지
편집 최민유
마케팅 왕인정 이선행
디자인 SONBOM 이다혜

펴낸곳 ㈜오렌지디
출판등록 제2020-000013호
주소 서울시 강남구 선릉로 428
전화 02-6196-0380 **팩스** 02-6499-0323

ISBN 979-11-92186-43-6
　　　979-11-91164-31-2 (set)

www.oranged.co.kr